Libro de cocina para hacer helados

50 recetas para hacer tu propio helado

Francesca Gutierrez

Reservados todos los derechos.

Descargo de responsabilidad

RECETAS DE HELADOS

INTRODUCCIÓN

Incluso la idea de un helado es suficiente para evocar sueños de días soleados de fin de semana descansando en el patio, corriendo por el aspersor y tomando un descanso del calor con un delicioso manjar helado. Si bien las cosas compradas en la tienda son agradables, no es difícil hacer un lote de helado realmente rico y espeso sin romper el banco.

Si nunca antes ha intentado hacer este dulce postre, es posible que se sorprenda de lo fácil que es. Aunque se necesita algo de planificación, la mayor parte de su tiempo lo dedicará a dejar que se enfríe o se congele.

A menudo, puede batir una buena base de helado en menos de media hora. Luego, todo lo que necesita hacer es enfriarlo, darle un poco de tiempo en una mejor máquina para hacer helados y dejar que se congele. ¡Lo que obtienes por todo ese "trabajo" es un postre increíblemente delicioso que sabe muy bien y tiene exactamente los sabores e ingredientes que deseas! ¿Te gustaría que tu helado favorito con chispas de chocolate tuviera más chispas de chocolate? ¡Puede! ¿Te gustaría que tu helado de plátano favorito no tuviera nueces? Eso depende de ti ahora.

El helado casero también es una excelente manera de tratar a los invitados. Nada dice espectacular como sacar un helado hecho con bayas frescas o menta del jardín. Y el helado combina bien con muchos otros postres de verano y recetas de postres sin hornear. También es necesario para hacer deliciosos sándwiches de helado caseros. ¡Consulta 48 de nuestras recetas de helado favoritas!

LACTOSO

Base de helado de natillas

RENDIMIENTO: Aproximadamente 1 1/2 pintas

TIEMPO: 20 minutos más varias horas de enfriamiento, enfriamiento y congelación

Esta base mantendrá durante 3 a 4 días el frigorífico en un recipiente bien tapado. Tenga en cuenta que es importante que el recipiente esté bien sellado o la base absorberá los sabores de otros alimentos. Si prefieres usar azúcar turbinado, sustitúyelo por el granulado en esta receta.

Ingredientes

- 3 tazas de crema espesa
- 1 taza de leche entera
- $\frac{3}{4}$ taza de azúcar
- 4 yemas de huevo

Direcciones

Caliente la crema, la leche y el azúcar en una cacerola de fondo grueso, revolviendo ocasionalmente hasta que el azúcar se disuelva y la mezcla esté caliente. Coloca las yemas de huevo en un bol y bate brevemente.

Sin dejar de batir, vierta lentamente los huevos para combinar con la mezcla en la cacerola. Cocine a fuego medio, revolviendo constantemente, hasta que la mezcla espese un poco y cubra el dorso de una cuchara, aproximadamente 8 minutos.

Asegúrate de no dejar hervir la mezcla para evitar que se cuaje. Cuela la mezcla en un recipiente limpio y úsala como se indica en las recetas específicas.

Nutrición

3,6 g de proteína

35,3 g de grasa

0g de fibra

345.8kcal Calorías

Helado de natillas de antaño

Esta receta es tan rica y cremosa y el capricho perfecto en una calurosa tarde de verano.

Preparación: 55 min. + escalofriante

Proceso: 55 min / lote + congelación

Rinde: 2-3 / 4 cuartos

Ingredientes

- 1-1 / 2 tazas de azúcar
- 1/4 taza de harina para todo uso
- 1/2 cucharadita de sal
- 4 tazas de leche entera
- 4 huevos grandes, ligeramente batidos
- 2 pintas de crema batida espesa
- 3 cucharadas de extracto de vainilla

Direcciones

En una cacerola grande y pesada, combine el azúcar, la harina y la sal. Agregue gradualmente la leche hasta que quede suave. Cocine y revuelva a fuego medio hasta que espese y burbujee. Reduzca el fuego a bajo; cocine y revuelva 2 minutos más. Retírelo del calor.

En un tazón pequeño, mezcle una pequeña cantidad de la mezcla caliente con los huevos; Regrese todo a la sartén, batiendo constantemente. Ponlo a fuego lento; cocine y revuelva durante 2 minutos.

Retirar del fuego inmediatamente.

Transfiera rápidamente a un tazón grande; coloque el tazón en una olla con agua helada. Revuelva suavemente y ocasionalmente durante 2 minutos. Presione una envoltura de plástico sobre la superficie de las natillas. Refrigere por varias horas o por toda la noche.

Revuelva la crema y la vainilla en las natillas. Llene el cilindro del congelador de helado hasta dos tercios de su capacidad; congele de acuerdo con las instrucciones del fabricante. (Refrigere la mezcla restante hasta que esté lista para congelar). Transfiera el helado a los recipientes del congelador, dejando espacio libre para la expansión. Congele de 2 a 4 horas o hasta que esté firme. Repita con la mezcla de helado restante.

Nutrición

252 calorías

18 g de grasa

18 g de carbohidratos

0 fibra

4g de proteína

Rico helado de natillas de vainilla

Preparación: 1 hora

Proceso: 1 hora

Este rico helado de vainilla es mejor que cualquier cosa que pueda encontrar comercialmente, incluso en una heladería.

Ingredientes

- 3 tazas de crema espesa
- 1 taza de leche entera
- $\frac{3}{4}$ taza de azúcar
- 2 vainas de vainilla, partidas o 2 cucharadas de extracto de vainilla
- 4 yemas de huevo

Direcciones

Siga la receta de la Base de helado de natillas, agregando las vainas de vainilla a la cacerola con la nata, la leche y el azúcar. Justo antes de colar, raspe las semillas de los frijoles y colóquelas en la base de las natillas. Si usa extracto de vainilla, agréguelo a la base después de colar.

Vierta la mezcla en el bol de la heladera y congele. Siga el manual de instrucciones del fabricante.

Nutrición

300 Calorías

38g de carbohidratos

16 g de grasa

6g de proteína

Helado de natillas de vainilla y miel

Este cremoso y delicioso yogur helado tiene un sabor a suero de leche, una nota dulce a miel y una dosis doble de vainilla tanto del yogur aromatizado como del extracto.

Tiempo de preparación 30 minutos

Tiempo de enfriamiento 8 horas

Tiempo total 8 horas 30 minutos

Porciones 8 porciones

Ingredientes

- 3 tazas de crema espesa
- 1 taza de leche entera
- $\frac{1}{4}$ de taza de miel
- 2 vainas de vainilla, partidas o 2 cucharadas de extracto de vainilla
- 4 yemas de huevo

Direcciones

Siga la receta de la Base de helado de natillas, agregando las vainas de vainilla a la cacerola con la nata, la leche y el azúcar. Justo antes de colar, raspe las semillas de los frijoles y colóquelas en la base de las natillas. Si usa extracto de vainilla, agréguelo a la base después de colar.

Vierta la mezcla en el bol de la heladera y congele.

Siga el manual de instrucciones del fabricante.

Nutrición

Por porción:

277,3 calorías

Proteína 3.5g

Hidratos de Carbono 27,7g

Grasa 17,7g

Helado de natillas de chocolate

No, no es borracho. Es decadente, suave, rico y cremoso. Es como seda deslizándose por tu garganta. No para niños. Simplemente no lo apreciarían. Al menos mis hijos no lo harían.

Tiempo de preparación 40 minutos

Enfriamiento 4 horas

Rinde 6 porciones

Ingredientes

- 3 onzas de chocolate semidulce
- 1 onza de chocolate sin azúcar
- 1 receta Base de helado de natillas, tibia

Direcciones

Derrita el chocolate en una cacerola a fuego lento, revolviendo ocasionalmente hasta que quede suave. Agregue gradualmente un poco de la base de helado al chocolate, batiendo con frecuencia para mantener el chocolate suave.

Agrega el resto de la base de helado y cocina a fuego lento hasta que la mezcla esté bien mezclada. Déjelo enfriar completamente.

Vierta la mezcla en el bol de la heladera y congele. Siga el manual de instrucciones del fabricante.

Nutrición

280 Calorías

36 g de carbohidratos

12 g de grasa

8g de proteína

Helado De Crema De Café

Esto es perfección. Mucho sabor a café intenso, con una agradable textura cremosa, casi esponjosa. ¡Fuera de este mundo bueno!

Rendimiento: 5 TAZAS

Tiempo de preparación: 25 MINUTOS

Tiempo de cocción: 10 MINUTOS

Tiempo total: 35 MINUTOS

Nos gusta esto adornado con granos de café dulce.

Ingredientes

- 1 receta Base de helado de natillas
- $\frac{1}{4}$ taza de café instantáneo en gránulos, preferiblemente espresso

Direcciones

Mezcle aproximadamente 1 taza de la Base para helado de natillas junto con el café.

Revuelva a fuego lento hasta que el café se disuelva. Mezclar con la base restante. Déjelo enfriar completamente.

Vierta la mezcla en el bol de la heladera y congele. Siga el manual de instrucciones del fabricante.

Nutrición

Calorías: 182

Grasa total: 13g

Hidratos de Carbono: 9g

Fibra: 0g

Azúcar: 2g

Proteína: 8g

Helado de natillas de plátano

Este es el mejor helado de plátano. ¡No se congela cuando se almacena y es absolutamente delicioso!

Tiempo de preparación: 5 MINUTOS

Tiempo de cocción: 20 MINUTOS

Tiempo total: 9 HRS

Porciones: 1 cuarto de galón

Ingredientes

- Aproximadamente 1 3/4 tazas de leche condensada azucarada
- 2 cucharadas de maicena
- 3 huevos, separados
- Azúcar granulada, al gusto
- 4 plátanos
- Jugo de 1 lima o limón
- Unas gotas de extracto de vainilla

Direcciones

Agregue suficiente agua a la leche condensada para hacer 1 cuarto de galón. Coloque la maicena en una taza y agregue un poco de leche hasta que quede suave.

En una cacerola de base pesada, hierva la leche restante. Vierta en la maicena mezclada, revolviendo. Vuelva a hervir la mezcla, revolviendo constantemente. Continúe cocinando hasta que la mezcla espese. Comprueba la dulzura.

Batir las yemas de huevo, con azúcar si es necesario, en un bol y agregar la leche caliente. Triturar los plátanos con el jugo de lima o limón y batir con las natillas con el extracto de vainilla. Dejar enfriar, revolviendo de vez en cuando. Vierta la mezcla en un recipiente, cubra y congele hasta que esté firme. Batir bien en un bol. Batir las claras de huevo hasta que estén firmes, pero no secas, y mezclarlas con las natillas. Vuelve a colocar la mezcla en el recipiente. Cubra y congele hasta que esté firme.

Aproximadamente 30 minutos antes de servir, transfiera el helado al refrigerador.

Nutrición

Calorías: 247KCAL

Carbohidratos: 22G

Proteína: 3G

Grasa: 19G

Fibra: 1G

Azúcar: 17G

Helado de natillas de pistacho

Cada día hace más calor y este helado de pistacho te derretirá el corazón. Te enamorarás de la base cremosa y sabrosa y la tapa de pistacho.

Tiempo de preparación 30 minutos + tiempo de enfriamiento

Tiempo de cocción 15 minutos

Tiempo total 45 minutos + tiempo de enfriamiento

Ingredientes

- 1 receta de Base de helado de natillas, fría
- 1 taza de pistachos sin cáscara, blanqueados, pelados y picados en trozos grandes
- $\frac{1}{2}$ cucharadita de extracto de almendras

Direcciones

Mezcla todos los ingredientes juntos.

Vierta la mezcla en el bol de la heladera y congele. Siga el manual de instrucciones del fabricante.

Nutrición

Calorías 126

Grasa total 7.3ggramos

Carbohidratos totales 13ggramos

Fibra dietética 0.8ggramos

Azúcares 11ggramos

Proteína 2.6g

Paleta de crema pastelera

Las paletas de natillas tienen un sabor delicioso. Es perfecto para el verano. ¡Es fácil de hacer y súper refrescante!

Tiempo de preparación: 8 HORAS

Tiempo de cocción: 15 HORAS

Tiempo total: 23 HORAS

Porciones: 6

Ingredientes

- $2\frac{1}{4}$ tazas de leche, crema entera
- $\frac{1}{4}$ de taza) de azúcar
- 2 cucharadas de natillas en polvo, con sabor a vainilla
- $\frac{1}{4}$ taza de crema espesa / crema de amul
- puñado de tutti frutti / cualquier fruto seco

Direcciones

en un kadai grande hervir 2 tazas de leche revolviendo de vez en cuando. Agregue $\frac{1}{4}$ de taza de azúcar y revuelva bien. Además, en un tazón pequeño, disuelva 2 cucharadas de crema pastelera en polvo en $\frac{1}{4}$ de taza de leche.

Revuelva bien para obtener una crema de leche sin grumos.

Manteniendo la llama baja, agregue la crema pastelera preparada. Revuelva continuamente, de lo contrario la leche cuajada. Sigue revolviendo hasta que la leche espese bien. dejar a un lado para que se enfríe por completo.

En otro tazón, tome $\frac{1}{4}$ de taza de crema espesa / crema de amul. Batir bien con una batidora o batidora de mano hasta que aparezcan picos rígidos. Además, agregue la crema pastelera preparada una vez que se haya enfriado por completo. Mezclar bien asegurándose de que la leche y la nata montada estén bien combinadas. Batir bien con una batidora o batidora de mano durante un minuto. esto ayuda a que el helado de natillas se forme más cremoso. Agregue un puñado de tutti frutti / cualquier fruta seca y mezcle bien.

Transfiera la mezcla preparada a moldes para paletas heladas.

Cubra con la tapa y congele durante 8 horas o hasta que cuaje por completo.

Ahora sumerja la paleta en agua caliente durante 10 segundos, para quitarla fácilmente.

Por último, sirva una paleta de natillas o helado de natillas a los niños y disfrute del verano.

Nutrición

151 Calorías

14g de carbohidratos

9 g de grasa

2g de proteína

Helado De Natillas De Canela

Rica y cremosa. Gran sensación en boca. Sabe a Snickerdoodle. Un gran éxito. Muy rico (es a base de natillas), por lo que solo necesita una pequeña cucharada de sorbete para servir un poco.

Preparación: 10 minutos

Cocinar: 30 minutos más tiempo de congelación

Ingredientes

- 1 receta Base de helado de natillas
- $\frac{3}{4}$ cucharadita de canela molida o 2 ramas de canela

Direcciones

Ponga aproximadamente 2 tazas de la base de helado de natillas con la canela en una cacerola. Cocine a fuego lento, revolviendo constantemente, de 5 a 10 minutos, o hasta que la mezcla esté tibia y teñida con sabor a canela. Déjelo enfriar completamente. Retire las ramas de canela, si las usa.

Vierta la mezcla en el bol de la heladera y congele. Siga el manual de instrucciones del fabricante.

Nutrición

Kcal 422

Grasas 35g

Carbohidratos 24g

Azúcares 19g

Fibra 0g

Proteína 5g

Sal 0.1g

Helado de natillas de almendras

Este helado a base de leche de almendras te hará preguntarte si la crema es de vaca. Si tienes alergia a la leche o no, te encantará esta sabrosa receta.

Tiempo de preparación 10 minutos

Tiempo de cocción 19 minutos

Tiempo de batido 25 minutos

Ingredientes

- 2 1/2 tazas de leche de almendras natural sin azúcar
- 4 cucharadas de pasta de vainilla pueden usar extracto de vainilla, pero el sabor será diferente.
- 3 yemas de huevo grandes
- 1/2 taza de azucar

Direcciones

Flan

Agregue la pasta de vainilla a una cacerola con la leche de almendras.

Coloca la leche de almendras en la estufa. Cocine a fuego medio a bajo. Llevar a hervir.

Separar las yemas de huevo y colocar las yemas en otra cacerola. Batir las 3 yemas de huevo con el azúcar.

Retire la leche de almendras hirviendo del fuego y agregue lentamente la crema caliente a la mezcla de huevo. Mezcle con una batidora de mano y asegúrese de gotear un poco de leche lentamente y mezcle bien el huevo después de cada adición. Como el huevo está crudo, la mezcla caliente cocinará el huevo. Entonces, no puedo enfatizar que debes agregar la leche lentamente para que no obtengas trozos de huevo cocido.

Una vez que la leche y el huevo estén combinados en la cacerola, regréselo a la estufa. Revuelva a fuego medio a bajo hasta que las natillas estén como un pudín líquido. Cubrirá el dorso de una cuchara y cuando pases el dedo, no sangrará. Esto tarda unos 14 minutos. Retírelo del calor. No puedo decir lo suficiente que no se instalará como una crema espesa.

Vierta las natillas en un recipiente de pyrex y cubra. Colocar en el frigorífico un par de horas para que se enfríe la leche.

Saque la mezcla de helado de la nevera y colóquela en un tazón frío de la máquina para hacer helados Kitchen Aid.

Vea el video sobre cómo colocar la paleta Kitchen Aid en la batidora.

Bloquee el tazón en su lugar y baje el brazo y el accesorio en la parte superior de la paleta. Establezca la velocidad en el modo "Stir".

Mezcle la crema durante unos 25 minutos. El helado se asentará y tendrá la textura de un helado suave.

Si desea que su helado esté un poco más duro, colóquelo en un recipiente y colóquelo en el congelador durante una hora o más.

Nutrición

Porciones: 4 porciones

Calorías: 198kcal

Hidratos de Carbono: 34g

Proteína: 2g

Grasas: 3g

Azúcar: 34g

Helado de natillas de vainilla y fresas tostadas

Helado de natillas de vainilla casero a la antigua con fresas tostadas con miel elaborado solo con crema REAL. Esto es tan tradicional y decadente como el helado. Sin rellenos, sin azúcares refinados; endulzado con miel local y fresas. Este es un postre verdaderamente rico en nutrientes elaborado con algunos súper ingredientes alimenticios reales.

Tiempo de preparación: 20 minutos

Tiempo de cocción: 20 minutos.

Tiempo total: 40 minutos

Rendimiento: 2 litros

Ingredientes

- 2 litros de crema real
- 6 yemas de huevo
- 1 vaina de vainilla (o 1 cucharada de buen extracto de vainilla)
- Un lote de fresas tostadas en miel.

Equipamiento especial:

- Fabricante de helados

- (Opcional) Recipiente del congelador de respaldo
- (Opcional) Tina de almacenamiento de helados

Direcciones

Asegúrese de que el tazón del congelador (y el segundo tazón si lo usa) de su máquina para hacer helados esté en el congelador. Necesita de 16 a 24 horas de tiempo de congelación.

Comience su lote de fresas tostadas a fuego lento en miel, pero aumente la miel en la receta a 1 taza.

Separe la yema de huevo de las claras en un tazón mediano.

Vierta su crema en una olla grande de fondo grueso.

Divida la vaina de vainilla por la mitad a lo largo, raspe los frijoles con la crema y agregue también la vaina de vainilla.

Caliente lentamente la crema a fuego medio, revolviendo con frecuencia, hasta justo antes de hervir antes de retirar rápidamente del fuego.

Tome un cucharón lleno de crema caliente y agréguelo lentamente a su tazón con las yemas de huevo, batiendo rápidamente. Este paso es necesario para templar los huevos y evitar que se cuajen.

Repite este par de veces más.

Vierta lentamente la mezcla de crema de huevo caliente nuevamente en la olla grande y vuelva a colocarla en la estufa a fuego medio.

Revuelva constantemente a medida que la mezcla se espese.

Cuando cubra el dorso de su cuchara, su natilla está lista. Colar a través de un colador y desechar la vaina de vainilla.

Cuando las fresas hayan terminado de asarse, mézclelas también con la mezcla de natillas. Puede hacerlos puré o dejarlos como están. Si desea agregar colorante alimentario, ahora es un buen momento.

Coloque todo en el refrigerador durante al menos 4 horas o durante la noche.

Cuando esté listo para hacer su helado, trabaje rápidamente para que el tazón del congelador permanezca congelado.

Saque el tazón del congelador, colóquelo en su máquina para hacer helados y luego vierta su mezcla de crema de vainilla y fresa. ¡Tenga cuidado de no sobrellenar como hice en el video!

Encienda la máquina y programe un temporizador durante 20 minutos.

Después de 20 minutos, me gusta comprobar la consistencia y hacer funcionar la máquina durante 5-10 minutos más. Si tuviera que agregar ingredientes adicionales como nueces o chispas de chocolate, aquí es cuando también lo haría.

Si vas a preparar un litro adicional (dependiendo de tu heladera) saca el segundo bol del congelador y repite los pasos necesarios.

Una vez hecho, el helado está listo para comer pero quedará blando. Si prefiere una consistencia más firme, colóquelo en tinas y congele por un par de horas más.

Nutrición

Calorías: 324kcal

Hidratos de Carbono: 25g

Proteína: 3g

Grasas: 24g

Fibra: 1g

Azúcar: 21g

Helado de ruibarbo y natillas

Por mucho que me encanta hacer un helado batido adecuado desde cero, también disfruto de una salida fácil. Esta receta es una variedad simple sin batir, ondulada con ruibarbo picante.

HACE: 8

TIEMPO DE PREPARACIÓN: 0 horas 10 minutos

TIEMPO DE COCCIÓN: 0 horas 10 minutos

TIEMPO TOTAL: 0 horas 20 minutos

Ingredientes

- 1 libra de ruibarbo picado en trozos grandes
- 2 cucharadas de agua
- 6 oz de azúcar en polvo
- $\frac{1}{2}$ pinta de crema doble
- lata de natillas listas para servir (425ml)

Direcciones

Coloque el ruibarbo, el agua y el azúcar en una cacerola, caliente a fuego lento y deje hervir a fuego lento.

Cocine durante 10 minutos hasta que el ruibarbo se ablande y parezca un puré.

Retirar del fuego y dejar enfriar.

Batir suavemente la nata hasta que forme picos suaves y luego incorporar suavemente las natillas.

Agregue el puré de ruibarbo.

Coloque en un recipiente y congele hasta que esté fangoso, luego bata y vuelva a congelar hasta que esté firme, o use una máquina para hacer helados.

Nutrición

Calorías: 400

Carbohidratos totales: 31g

Grasa total: 30g

Helado de crema pastelera de melocotón

Esta misma técnica funcionará con otras frutas sin hueso. Las cerezas frescas son particularmente buenas. Haga puré de la fruta en un molino de alimentos para que los huesos y las pieles se separen fácilmente de la pulpa.

Ingredientes

- $1\frac{1}{4}$ libras (aproximadamente 8 medianos) de duraznos
- $\frac{1}{4}$ taza de jugo de limón fresco
- $1\frac{1}{2}$ tazas de crema espesa
- $1\frac{1}{2}$ tazas de leche
- $\frac{3}{4}$ taza de azúcar
- 3 yemas de huevo

Direcciones

Pelar y deshuesar los melocotones, reservando la cáscara y los huesos. Triturar la pulpa con el jugo de limón. Deberías tener 2 tazas de puré. Refrigerar.

Coloque las cáscaras y huesos reservados en una cacerola con la crema y la leche. Cocine a fuego lento cubierto a fuego lento durante 20 minutos. No hierva.

La mezcla puede parecer un poco separada debido al ácido de la fruta. Agrega el azúcar y revuelve para que se disuelva. Coloca las yemas de huevo en un bol y bate brevemente. Sin dejar de batir, vierta lentamente aproximadamente 1 taza del líquido. Cuando la mezcla esté licuada, viértala lentamente en el líquido de la cacerola, batiendo constantemente. Cocine a fuego medio, revolviendo constantemente, hasta que la mezcla espese un poco y cubra el dorso de la cuchara, aproximadamente 8 minutos.

Asegúrate de no dejar que la mezcla hierva en ningún momento o se cuajará. Colar la mezcla en un recipiente limpio y enfriar bien.

Combine la mezcla de natillas con el puré de melocotón.

Vierta la mezcla en el bol de la heladera y congele. Siga el manual de instrucciones del fabricante.

Nutrición

Calorías 344

Grasa 20g

Carbohidratos 39g

Fibra 3g

Azúcar 35g

Proteína 5g

Helado de natillas de Barbados

Transpórtate a Barbados con esta receta con sabor a ron. Es un helado ligero y no demasiado dulce, con un delicioso sabor a la antigua.

Ingredientes

- 1 vaina de vainilla
- 400 ml de leche entera
- pizca de sal marina
- 6 yemas de huevo
- 60 g de azúcar
- 50 g de azúcar moreno turbinado o moreno claro
- 200g de crema fresca
- 1 cucharada. Ron oscuro

Kit esencial

- Necesitarás: una máquina de helados.

Direcciones

1. Para preparar el helado: parta la vaina de vainilla con la punta de un cuchillo afilado, raspe sus semillas y luego agregue ambas semillas y la vaina a una sartén no reactiva, junto con la leche y la sal marina (y la nata si hace el versión más rica). Revuelva con frecuencia con un batidor o una

espátula de silicona para evitar que se enganche. Una vez que el líquido esté caliente y humeante, mezcle las yemas de huevo y ambos azúcares en un recipiente aparte hasta que se combinen.

2. Vierta la leche caliente sobre las yemas en un chorro fino, batiendo continuamente. Regresar toda la mezcla a la olla y cocinar a fuego lento hasta que alcance los 82 ° C, revolviendo todo el tiempo para evitar que se cuajen los huevos y vigilándolo de cerca para que no hierva. Tan pronto como su termómetro digital indique 82 ° C, coloque la olla en un fregadero con agua helada.??

3. Agregue la crème fraîche y el ron y mezcle con las natillas. Acelera el proceso de enfriamiento revolviendo la mezcla de vez en cuando. Una vez que las natillas estén a temperatura ambiente, pásalas en un recipiente limpio, cúbrelas con film transparente y enfríalas en el refrigerador.

4. Para hacer el helado: al día siguiente, use un cucharón pequeño para empujar la crema pastelera a través de un colador de malla fina hasta un recipiente limpio. Reserva la vaina de vainilla y licúa la crema fría con una batidora de mano durante un minuto.

5. Vierta la crema pastelera en una máquina para hacer helados y bata según las instrucciones de la

máquina hasta que se congele y tenga una textura de crema batida rígida, aproximadamente 20 - 25 minutos.

6. Coloque el helado en un recipiente con tapa adecuado. Cubra con un trozo de papel encerado para limitar la exposición al aire, cubra y congele hasta que esté listo para servir.

Nutrición

300 Calorías

38g de carbohidratos

16 g de grasa

6g de proteína

Helado de natillas de Oreo

Las galletas y el helado son una gran combinación: no solo porque es sabroso, sino también porque las galletas tienden a mejorar la consistencia del helado. Hoy, combinaremos una base de helado cremoso al estilo americano con galletas Oreo. Si eres fanático de los oreos, este se convertirá en tu helado favorito. ¡Quedarás enganchado! No querrás comprar ningún helado envasado este verano una vez que hagas esta receta fácil de helado de oreo con un toque de vainilla.

Tiempo de preparación: 20 minutos + tiempo de enfriamiento

Tiempo de cocción: 2 a 3 horas de tiempo de enfriamiento después de congelado.

Tiempo total: 20 minutos + tiempo de enfriamiento y tiempo de congelación

Rendimiento: 2 cuartos

El amor de un adulto de fantasía infantil.

Ingredientes

- 1 receta de helado de chocolate o helado de vainilla rico, frío pero no congelado.
- 1 taza de galletas Oreo rotas (8 a 10)

Direcciones

Vierta la mezcla de helado de chocolate o vainilla en el bol de la máquina y congele 10 minutos, agregue las Oreos. Continúe congelando.

Nutrición

Calorías 270

Grasa total 11ggramos

Carbohidratos totales 38ggramos

Fibra dietética 0ggramos

Azúcares 21ggramos

Proteína 5g

Helado de azúcar moreno, nueces y natillas

Esto es para morirse. Absolutamente delicioso !!!!

RENDIMIENTO: Rinde aproximadamente 7 tazas

Preparación: 45 min. + proceso de enfriamiento: 20 min. + congelación

1 cuarto

La variación en la base de natillas usaba azúcar morena en lugar de blanca.

Ingredientes

- 3 tazas de crema espesa
- 1 taza de leche
- 1 taza de azúcar morena compacta
- 4 yemas de huevo
- 1 taza de trozos de nuez

Direcciones

Caliente la crema, la leche y el azúcar en una cacerola de fondo grueso, revolviendo ocasionalmente hasta que el azúcar se disuelva y la mezcla esté caliente. Coloca las yemas de huevo en un bol y bate brevemente. Sin dejar de batir, vierta lentamente aproximadamente 1 taza del líquido caliente. Cuando la mezcla esté licuada, viértala lentamente en el líquido de la cacerola, batiendo constantemente. Cocine a fuego medio, revolviendo constantemente hasta que la mezcla espese un poco y cubra el dorso de una cuchara, aproximadamente 8 minutos. Asegúrate de no dejar que la mezcla hierva en ningún momento o se cuajará. Colar en un recipiente limpio y enfriar bien. Agrega las nueces.

Vierta la mezcla en el bol de la heladera y congele. Siga el manual de instrucciones del fabricante.

Nutrición

298 calorías,

18 g de grasa

30 g de carbohidratos

29g azúcares

1 g de fibra

4g de proteína

Helado de natillas congeladas de cereza

Un postre helado decadente elaborado con huevos, nata, azúcar y cerezas. Se derrite en la boca para revelar su deliciosa textura cremosa y tiene un sabor absolutamente divino. La receta base para natillas también se puede usar para hacer otras versiones con sabor.

Tiempo de preparación 5 minutos

Tiempo de cocción 10 minutos

Tiempo total 1 hr. 15 minutos

Ingredientes

- 2 tazas de crema espesa
- 1 taza de leche entera
- 1 taza de azúcar granulada
- 6 yemas de huevo
- 2 cucharadas. Extracto puro de vainilla
- 1 pizca de sal
- 1 taza de cerezas sin hueso y picadas frescas o congeladas

Direcciones

Batir las yemas de huevo en un bol resistente al calor y reservar.

Toma la leche, la nata, el azúcar y la sal en una cacerola mediana. Calentar a fuego medio y remover continuamente hasta que se disuelva el azúcar. Sigue revolviendo hasta que la mezcla esté muy caliente pero aún no hirviendo.

Baja el fuego. Tome la leche y vierta un poco en la mezcla de yemas de huevo en un chorro fino mientras bate las yemas continuamente. Después de verter aproximadamente 1 taza de leche, devuelva la leche restante a la estufa.

Mantenga el fuego bajo y vierta la mezcla de yema de huevo en la sartén en un chorro fino mientras bate la leche en la sartén. Revuelva y siga cocinando a fuego lento a medio bajo hasta que la crema se espese un poco. Sigue revolviendo para evitar que se pegue a la sartén. Apaga el fuego y a medida que la natilla se espesa y comienza a cubrir el dorso de la cuchara. Incorpora la vainilla.

Transfiera las natillas a un recipiente al baño maría. Batir la mezcla y dejar enfriar, unos 15 minutos. Alternativamente, puede colocar un trozo de papel pergamino encima de la natilla y dejar que se enfríe durante unas horas en la nevera.

Deshuesar y picar las cerezas en cuartos o en ocho.

Transfiera las natillas enfriadas a la máquina para hacer helados (siga las instrucciones del fabricante) y procese. Cuando la mezcla comience a endurecerse agregue las cerezas picadas, lentamente. Continúe batiendo hasta que cuaje.

Sirva inmediatamente como un servicio suave o congele en un recipiente hermético para congelador durante 2 a 4 horas para obtener una versión más firme.

Nutrición

Calorías 221

Helado de natillas de chocolate amargo

¡Un helado de natillas rico, suave y muy achocolatado!

Rendimiento: 12 PORCIONES

Tiempo de preparación: 1 HORA

Tiempo adicional: 14 HORAS

Tiempo total: 15 HORAS

Ingredientes

- 1/3 taza (40 g) de cacao en polvo sin azúcar de buena calidad
- 1 taza (200 g) de azúcar, dividida por la mitad
- 2 tazas (475 ml) de leche entera
- 2 1/3 tazas (545 ml) de crema batida espesa
- 2 huevos grandes, más 4 yemas de huevo grandes
- 4 onzas (115 g) de chocolate agridulce o semidulce, picado grueso o chips (nuevamente, es necesario usar chocolate de buena calidad)
- 1 cucharada de extracto de vainilla

Direcciones

Coloque los trozos de chocolate o las chispas en un recipiente hondo resistente al calor y reserve.

Coloque el cacao en polvo y la mitad del azúcar en una cacerola grande y revuelva con un batidor. Vierta lentamente la leche, mientras continúa batiendo, luego agregue la crema. Encienda la hornilla a fuego medio-alto y déjela hervir, batiendo constantemente. Cuando la mezcla comience a hervir, programe un temporizador durante 2 minutos y bata hasta que se acabe el tiempo. Retirar del fuego y dejar de lado; Batir la mezcla de vez en cuando para evitar que se forme una piel.

En un tazón mediano que no sea de aluminio (preferiblemente en una batidora de pie), bata el azúcar restante, los huevos y las yemas de huevo hasta que estén bien mezclados. Mientras sigue batiendo, atempere la mezcla de huevo agregando lentamente alrededor de una taza de la mezcla de cacao.

Vierta 1/3 de taza de la mezcla de cacao sobre el chocolate en el tazón y revuelva para derretir el chocolate. Agrega 1/3 taza más de mezcla de cacao al chocolate para terminar de derretirlo por completo. Debería estar completamente liso cuando esté listo; dejar de lado.

Vuelva a poner la mezcla de huevo en la cacerola y colóquela a fuego medio bajo. Continúe revolviendo y ajuste el fuego para que la mezcla se caliente bien, pero no se sobrecaliente (ya que esto puede hacer que los huevos se cuajen, ¡no se preocupe, tengo una solución si lo hacen!) Si la mezcla comienza a calentarse demasiado rápido y levántate, retira del fuego inmediatamente y remueve rápidamente. Continúe cocinando hasta que la mezcla esté muy caliente y deje una película espesa en el dorso de una cuchara (o hasta 160 F ° / 71 ° C). Retire inmediatamente del fuego y continúe revolviendo durante medio minuto.

Agrega una taza de esta mezcla caliente a la mezcla de chocolate hasta que quede suave. Agregue la mezcla de chocolate y vainilla nuevamente a la mezcla de huevo, revolviendo hasta que esté bien mezclado y suave.

Vierta a través de un colador fino en un recipiente apto para congelador. Cubra y refrigere por al menos 6 horas.

Procese en una máquina para hacer helados de acuerdo con sus instrucciones, luego colóquelo en un recipiente a prueba de congelador y colóquelo en el congelador durante al menos 8 horas antes de colocarlo en tazones o conos para servir.

Nutrición

Calorías: 162

Grasa total: 11g

Grasa saturada: 5g

Hidratos de Carbono: 13g

Fibra: 1g

Azúcar: 8g

Proteína: 6g

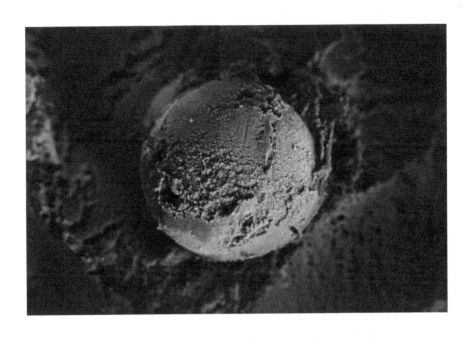

Helado De Crema De Limón

Flan divertido, se ve perfecto, brillante y picante, este convite te ayudará a refrescarte incluso en el día más sofocante, o terminar una comida abundante con una nota reconfortante. Amo todas las cosas de limón. ¡Ahora sé qué hacer con esa crema batida en mi refrigerador! Además, a mis hijos les encanta cuando saco mi máquina para hacer helados.

Preparación: 15 min. + escalofriante

Proceso: 20 min. / lote + congelación

Rinde 1 cuarto de galón

Ingredientes

- Ralladura de 1 limón
- 2/3 taza de azúcar
- 2 $\frac{1}{2}$ tazas de crema espesa
- 1 taza de leche
- 5 yemas de huevo
- 7 cucharadas de jugo de limón recién exprimido, teñido

Direcciones

Pon la ralladura de limón y el azúcar en un procesador de alimentos y procesa hasta que la ralladura esté finalmente picada. En una cacerola, mezcle el azúcar de limón con 1 ½ crema espesa y toda la leche. Deje hervir, revolviendo ocasionalmente para disolver el azúcar. Coloca las yemas de huevo en un bol grande y bate brevemente. Sin dejar de batir las yemas, vierte lentamente la nata caliente. Cuando la mezcla esté suave, viértala nuevamente en la cacerola o en la parte superior de una caldera doble. Cocine a fuego lento o sobre agua hirviendo, revolviendo constantemente, hasta que la mezcla se vuelva espesa, unos 15 minutos. No dejes que la mezcla hierva.

Coloque las natillas en un recipiente de metal sobre un recipiente más grande con hielo. Revuelva hasta que esté muy frío y espeso. Incorpora el jugo de limón.

Batir la taza de crema que cambia el nombre hasta que esté rígida. Incorporar la crema pastelera de limón. Coloca la mezcla en el bol de la máquina y congela 20 minutos.

Nutrición

318 calorías

20 g de grasa

32 g de carbohidratos (29 g de azúcares, 0 fibras)

5 g de proteína

Receta de helado de galletas y natillas

Receta deliciosamente cremosa de helado Cookies-n-Custard: el regalo perfecto para una tarde cálida y soleada

Porciones 10

Ingredientes

- 1L Parmalat de vainilla y natillas con sabor a caramelo
- 250ml de nata fresca
- 1 cucharada de azúcar en polvo
- paquete de galleta de caramelo crujiente, nueces de jengibre o digestivos de chocolate

Direcciones

Vierta la crema pastelera en un bol grande y bata brevemente para aligerarla. Batir la nata con el azúcar de ricino hasta que quede firme. Incorpora suavemente la crema batida a las natillas. Desmenuza las galletas (no muy finamente, quieres trozos grandes) y dóblalas en las natillas.

Vierta la mezcla de helado en su máquina para hacer helados y siga las instrucciones del fabricante. Si no tiene una máquina para hacer helados, vierta la mezcla en un recipiente apto para congelador.

Si sigue esta ruta, deberá revolverlo varias veces mientras se congela para evitar que se formen cristales de hielo. Revuelva cada 20-30 minutos y haga esto 4-5 veces. Después de eso, puedes dejar que se establezca.

Esto se congela de manera muy sólida, por lo que, dependiendo de la temperatura ambiente, deberá sacarlo del congelador de 5 a 10 minutos antes de que desee sacarlo.

Para que sea aún más fácil tener bolas de helado perfectamente formadas, simplemente sumerja su bola de helado en agua caliente antes de sacarlas.

Nutrición

Calorías 410

Carbohidratos 36,2g

Fibra 0.1g

Azúcar 35,2g

Proteína 3.8g

GELATOS

Helado de crema

Este helado italiano más simple está hecho con natillas de huevo cocidas y crema y se puede usar como base para casi todos los demás sabores de helado. También es delicioso solo.

- 2 1/2 tazas de crema ligera
- 5 yemas de huevo
- 1/2 taza de azúcar extrafina

Calentar la nata hasta que empiece a burbujear, luego enfriar un poco.

En un tazón grande resistente al calor, bata las yemas de huevo y el azúcar hasta que esté espeso y cremoso. Batir suavemente la crema refrescante en los huevos.

Coloque el tazón sobre una cacerola con agua hirviendo a fuego lento y revuelva con una cuchara de madera hasta que la crema pastelera cubra el dorso de la cuchara. Retirar el bol y dejar enfriar.

Cuando las natillas estén completamente frías, viértalas en una máquina para hacer helados y procese de acuerdo con las instrucciones del fabricante o use el método de mezcla manual. Deje de batir cuando esté casi firme, transfiéralo a un recipiente para congelador y déjelo en el congelador durante 15 minutos antes de servir, o hasta que lo necesite.

Es mejor comer este helado fresco, pero se puede congelar hasta por 1 mes. Sacar al menos 15 minutos antes de servir para que se ablanden un poco.

Rinde aproximadamente 1 1/4 pintas

Helado de fresa

Cuando se hace con fresas maduras realmente dulces, este helado seguramente traerá recuerdos felices de la infancia. Disfrútalo simplemente por sí solo.

- 1 receta helado de crema
- 3 1/2 tazas de fresas frescas peladas y picadas
- 2 cucharadas. azucar muy fina
- 1 cucharadita jugo de limon
- 1 cucharadita extracto puro de vainilla

Prepara la receta básica del helado (o una de sus variaciones) y deja enfriar por completo.
Tritura las fresas en una licuadora o procesador de alimentos con el azúcar, el jugo de limón y el extracto de vainilla. Vierta a través de un colador de malla fina para quitar las semillas, si lo desea. Agrega el puré de fresa al helado básico hasta que esté bien mezclado. Vierta en una máquina para hacer helados y procese de acuerdo con las instrucciones del fabricante o en un recipiente para congelador y use elmétodo de mezcla manual. Deje de batir cuando esté casi firme, transfiéralo

a un recipiente para congelador y déjelo en el congelador durante 15 minutos antes de servir, o hasta que lo necesite.

Es mejor comer este helado en 1 mes. Sacar 15 minutos antes de servir para ablandar.

Rinde aproximadamente 2 3/4 pintas

Helado de vainilla de lujo

El mejor y cálido sabor a vainilla se adquiere al remojar una vaina de vainilla en leche tibia y luego raspar las diminutas semillas negras del interior del grano. Las semillas también le dan un aspecto encantador al helado.

- 1 1/4 tazas de leche entera
- 1 vaina de vainilla
- 6 yemas de huevo
- 1/2 taza de azúcar extrafina
- 1 1/4 tazas de crema espesa, batida

Calentar la leche y la vaina de vainilla a hervir, retirar del fuego y dejar reposar durante unos 10 minutos. Retire la vaina de vainilla, seque con un paño y haga un corte en un lado con un cuchillo afilado. Abra el frijol y con un cuchillo largo y delgado, raspe las diminutas semillas negras en la leche.

En un tazón grande resistente al calor, mezcle las yemas de huevo y el azúcar hasta que quede espeso y cremoso. Agregue la leche tibia y luego coloque el tazón sobre una olla con agua hirviendo y revuelva con una cuchara de madera hasta que la crema se espese lo suficiente como para cubrir el dorso de la cuchara. Fresco.

Cuando esté completamente frío, agregue la crema batida. Vierta en una máquina para hacer helados y procese de acuerdo con las instrucciones del fabricante, omezcla de manos. Deje de batir cuando esté casi firme, transfiéralo a un recipiente para congelador y déjelo en el congelador durante 15 minutos antes de servir, o hasta que lo necesite. Es mejor comer este helado pronto, pero se puede congelar hasta por un mes. Sacar 15 minutos antes de servir para ablandar un poco.

Rinde aproximadamente 1 1/4 pintas

Helado de pistacho

Este es realmente el helado de ensueño de un amante de las nueces, especialmente si haces la variación de nueces.

- 2 tazas de pistachos sin cáscara
- unas gotas de extracto puro de almendra
- unas gotas de extracto puro de vainilla
- 1 receta helado de crema

Remojar los pistachos sin cáscara en agua hirviendo durante 5 minutos, luego escurrir y frotar la piel con un paño limpio. Muele las nueces hasta obtener una pasta en una licuadora o procesador de alimentos con unas gotas de extracto de almendra y vainilla, agregando solo un poco de agua caliente para ayudar a crear un puré suave.

Prepara el helado básico o una de sus variantes. Revuelva el puré en el helado, pruebe y agregue unas gotas más de uno o ambos extractos, si es necesario, al gusto.

Vierta en una máquina para hacer helados y procese de acuerdo con las instrucciones del fabricante o en un recipiente para congelador y use el método de mezcla manual. Deje de batir cuando esté casi firme, transfiéralo a un recipiente para congelador y déjelo en el congelador durante 15 minutos antes de servir, o hasta que lo necesite.

Un helado rico de nueces como este no debe congelarse por más de un par de semanas. Sácalo del congelador 15 minutos antes de servir para que se ablande un poco.

Rinde aproximadamente 1 1/2 pintas

Helado de chocolate amargo

Tal como debe ser un buen helado de chocolate: ¡oscuro, amargo y suave!

- 2 1/2 tazas de leche entera
- 7 oz. chocolate amargo, partido en pedazos
- 5 yemas de huevo
- 1/4 taza de azúcar morena clara
- 1 taza de crema espesa, batida

Caliente la mitad de la leche en una sartén con el chocolate hasta que se derrita y esté suave, revolviendo de vez en cuando. Dejar enfriar. Lleve el resto de la leche a punto de ebullición. En un tazón grande resistente al calor, bata las yemas de huevo y el azúcar hasta que espese, luego agregue gradualmente la leche caliente. Coloque el tazón sobre una olla con agua hirviendo y revuelva con una cuchara de madera hasta que la natilla cubra el dorso de la cuchara. Retirar del fuego y dejar enfriar por completo.

Cuando se enfríe, mezcle las natillas y la leche con chocolate, luego agregue la crema batida. Vierta en una máquina para hacer helados y procese de acuerdo con las instrucciones del fabricante o vierta en un recipiente para congelador y use elmétodo de mezcla manual. Batir por solo 15 a 20 minutos o hasta que esté firme. Transfiera al congelador y congele por 15 minutos antes de servir o hasta que se requiera.

Este helado de textura densa se come mejor fresco, pero se puede congelar hasta por 1 mes. Sacar al menos 15 minutos antes de servir para que se ablanden un poco.

Rinde aproximadamente 2 1/2 pintas

Helado ondulado de frambuesa

Cuando las frambuesas estén en su mejor momento, disfrute de este helado de colores brillantes que rebosa de sabor dulce y fresco.

- 4 tazas de frambuesas frescas
- 1/4 taza de azúcar extrafino
- 1 cucharadita jugo de limon
- 1 receta helado de crema

Saque 1/4 taza de frambuesas y tritúrelas brevemente. Dejar de lado. Mezcle las bayas restantes, el azúcar y el jugo de limón. Presione a través de un colador. Reserva 4 cucharadas de puré para que se enfríe.
Prepara la receta básica de gelato di crema. Incorpora el puré de frambuesa a la natilla enfriada. Batir o congelar como antes hasta que esté casi firme.
Transfiera el helado a un recipiente hermético para congelar y agregue cucharadas alternas del puré de frutas reservado y las frambuesas trituradas, de modo que la mezcla se ondule a medida que la sirva. Congele durante 15 minutos o hasta que se requiera.

Este helado se puede congelar durante aproximadamente 1 mes. Retirar del congelador al menos 15 minutos antes de servir para ablandar, porque las frutas enteras pueden dificultar el servicio.

Rinde aproximadamente 1 1/4 pintas

Helado de limón

Se trata de un helado con delicado sabor a limón, perfecto para disfrutar con frutas frescas.

- 1 receta helado ligero
- 2 limones sin encerar

Prepare el helado ligero básico y luego mezcle la ralladura fina de los limones y al menos 1/2 taza de jugo de limón.

Vierta en una máquina para hacer helados y procese de acuerdo con las instrucciones del fabricante, o use el método de mezcla manual. Deje de batir cuando esté casi firme, transfiéralo a un recipiente para congelador y déjelo en el congelador durante 15 minutos antes de servir, o hasta que lo necesite. Es mejor comer este helado fresco, pero se puede congelar hasta por 1 mes. Sacar del congelador 15 minutos antes de servir para ablandar un poco.

Rinde aproximadamente 1 1/4 pintas

Helado de tutti-frutti

Agregue una gran cantidad de colores y sabores a un helado simple y cree su propia obra maestra.

- 1 receta helado de crema
- 1 taza de frutas confitadas, cristalizadas o glaseadas picadas (cerezas, piña, cáscara de cítricos, jengibre)

Prepare el helado básico y bata hasta que esté parcialmente congelado. Mezcle sus frutas preferidas y congele hasta que sea necesario. Aunque es mejor comerlo fresco, este helado se puede congelar hasta por 1 mes. Sacar del congelador 15 minutos antes de servir para ablandar un poco.

Rinde aproximadamente 1 1/2 pintas

Helado de café

¡Este es el helado perfecto para después de la cena con un poco de crema batida y quizás una pizca de licor!

- 1 1/4 tazas de crema ligera
- 5 yemas de huevo
- 1/2 taza de azúcar extrafina
- 1 cucharadita extracto puro de vainilla
- 1 1/4 tazas de espresso extrafuerte recién hecho

Calentar la nata hasta que empiece a burbujear, luego enfriar un poco.

En un tazón grande resistente al calor, bata las yemas de huevo, el azúcar y la vainilla hasta que esté espeso y cremoso. Agregue la crema caliente y el café y luego coloque el tazón sobre una olla con agua hirviendo a fuego lento. Revuelva constantemente con una cuchara de madera hasta que las natillas cubran el dorso de la cuchara. Retirar el bol del fuego y dejar enfriar. Cuando esté completamente frío, vierta en una máquina para hacer helados y procese de acuerdo con las instrucciones del fabricante, o use el método de mezcla manual. Deje de batir cuando esté casi firme, transfiéralo a un recipiente para congelador y déjelo en el congelador durante 15 minutos antes de servir, o hasta que lo necesite.

Este helado es delicioso fresco, pero se puede congelar hasta por 3 meses. Sacar 15 minutos antes de servir para ablandar un poco.

Rinde aproximadamente 1 1/4 pintas

Helado de kumquat

Agregar esta fruta cítrica dulce y pegajosa estilo mermelada le da un grosor inusual al helado.

- 2 tazas de kumquats en rodajas
- 2 cucharadas. ron oscuro o jugo de naranja
- 3 cucharadas azúcar morena clara
- 2 a 3 cucharadas agua caliente
- 1 receta helado de crema

Cocine los kumquats en una cacerola pequeña con el ron, el azúcar morena y el agua caliente. Déjelos burbujear suavemente hasta que se vuelvan dorados y almibarados. Retírelo del calor. Reserva 2 cucharadas de la fruta en almíbar si deseas decorar el helado con ella. Fresco.
Prepare el helado básico y agregue la fruta enfriada antes de batir. Esta mezcla tomará solo la mitad del tiempo de congelación habitual.
Cubra con la fruta reservada cuando sirva. Este helado se puede almacenar hasta 1 mes en el congelador. Recuerda sacarlo 15 minutos antes de servir para que se ablande un poco.
Rinde aproximadamente 1 1/2 pintas

Gelato de almendra y amaretto

Rinde 6 porciones

- 4 tazas de crema espesa
- 5 yemas de huevo
- 1 taza de azúcar granulada
- 1 taza de almendras blanqueadas trituradas
- 1 cucharada de licor de amaretto

Verter la nata en un cazo y calentar suavemente.

Batir las yemas de huevo y el azúcar hasta que estén pálidas y cremosas. Bate 2 cucharadas de la crema caliente en la mezcla de huevo, luego agrega la crema restante, media taza a la vez.

Vierta a baño maría o en un recipiente sobre una olla con agua hirviendo y cocine a fuego suave, revolviendo constantemente de 15 a 20 minutos, hasta que la mezcla cubra el dorso de una cuchara. Enfriar la mezcla, luego enfriar.

Vierta la mezcla fría en una máquina para hacer helados y batir de acuerdo con las instrucciones del fabricante. Mientras se bate la paleta, agregue las almendras y el Amaretto, congele el helado durante la noche. Coloque en el refrigerador unos 20 minutos antes de servir.

Helado de avena y canela

Rinde aproximadamente 1 cuarto de galón

- Base de helado en blanco
- 1 taza de avena
- 1 cucharada de canela molida

Prepare la base en blanco de acuerdo con las instrucciones.

En una sartén pequeña a fuego medio, combine la avena y la canela. Tuesta, revolviendo regularmente, durante 10 minutos o hasta que esté dorado y aromático.

Para infundir, agregue la canela tostada y la avena a la base a medida que salen de la estufa y deje reposar durante unos 30 minutos. Usando un colador de malla colocado sobre un tazón; cuele los sólidos, presionando para asegurarse de obtener la mayor cantidad posible de crema aromatizada. Puede que salga un poco de pulpa de avena, pero está bien, ¡es delicioso! ¡Reserva los sólidos de avena para la receta de avena!

Perderás algo de mezcla por absorción, por lo que el rendimiento de este helado será un poco menor de lo habitual.

Guarde la mezcla en su refrigerador durante la
noche. Cuando esté listo para hacer el helado,
vuelva a mezclarlo con una licuadora de inmersión
hasta que quede suave y cremoso.

Vierta en una máquina para hacer helados y congele
de acuerdo con las instrucciones del fabricante.
Almacene en un recipiente hermético y congele
durante la noche.

GRANITAS

Granizado de sandía

- 3 tazas de puré de sandía (aproximadamente 1 pieza de 3/4 lb)
- 1/2 taza de azúcar extrafina
- 2 cucharaditas extracto puro de vainilla
- jugo de 1 pomelo rosado o rojo

Mezclar el puré de sandía con los demás ingredientes. Enfríe de 1 a 2 horas, revolviendo ocasionalmente para asegurarse de que el azúcar se disuelva.

Vierta en un recipiente para congelador y congele hasta que esté casi firme. Revuelva con un tenedor para romper en cristales. Vuelva a colocar en el congelador y vuelva a congelar hasta que esté casi firme.

Retirar, romper en cristales agradables y uniformes y servir en bonitas copas de cóctel.

Rinde aproximadamente 1 1/4 pintas

Granizado de lavanda

Bonitas cabezas de lavanda rosa-violeta producen
este impresionante helado de agua con un sabor
delicadamente perfumado.

- 2 cucharadas. cabezas de lavanda fresca
- 1/2 taza de azúcar extrafina
- 1 taza de agua hirviendo
- 1 taza de agua helada
- 2 cucharaditas jugo de limon
- 2 cucharaditas zumo de naranja

Coloque las cabezas de lavanda y el azúcar en un bol
y agregue el agua hirviendo. Revuelva bien, luego
cubra y deje enfriar por completo.
Colar, luego agregar el agua fría y los jugos de
frutas. Vierta en un recipiente para congelador y
congele hasta que esté casi firme, rompiendo con
un tenedor una vez durante la congelación. Justo
antes de servir, vuelva a romper con un tenedor en
cristales agradables y uniformes.
El sabor de este delicado hielo desaparecerá
pronto, así que cómelo lo antes posible.

Rinde aproximadamente 1 pinta

Granizado de chocolate negro

Si no ha probado un helado de agua de chocolate antes, ¡está de enhorabuena! Es como comerse una barra congelada de chocolate desmenuzado, definitivamente para los adictos al chocolate.

- 2 1/2 tazas de agua
- 3/4 taza de azúcar morena
- 1/2 taza de cacao en polvo sin azúcar, tamizado
- 3 cucharadas jarabe de maíz ligero
- 1/2 taza de chocolate blanco, en copos, rallado o finamente picado, y más para decorar

Caliente suavemente el agua, el azúcar morena, el cacao y el jarabe de maíz hasta que se mezclen. Revuelva suavemente hasta que la mezcla esté suave. Dejar enfriar completamente.
Agrega el chocolate blanco. Vierta en un recipiente para congelador y congele hasta que esté casi firme, revolviendo y rompiendo una vez durante la congelación. Justo antes de servir, vuelva a romper para lograr una consistencia granular agradable.

Para servir, coloque en tazones y espolvoree con más chocolate blanco.

Rinde aproximadamente 1 1/2 pintas

Granizado de limón y lima

Pruebe la mezcla antes de ponerla en la máquina de helado para que pueda ajustar la nitidez de la fruta o la dulzura del azúcar a su gusto.

Aproximadamente 6 porciones

- 2 limones
- 2 limones
- 150 g / 5½ oz de azúcar en polvo dorada

Exprime el jugo de los limones y las limas en una jarra grande. Agregue el azúcar y 300ml / ½ pinta de agua.

Tape y refrigere durante unos 30 minutos o hasta que el azúcar se haya disuelto y la mezcla esté bien fría.

Vierta la mezcla en la máquina para hacer helados y congele de acuerdo con las instrucciones. Tan pronto como comiencen a formarse cristales de hielo, transfiéralos a un recipiente poco profundo.

Congele hasta que se haya formado una capa gruesa de grandes cristales de hielo alrededor de los bordes.
Con un tenedor, rompa el hielo en trozos más pequeños y revuélvalos en el centro del recipiente.

Congela de nuevo repitiendo los pasos 4 y 5 hasta que la mezcla parezca hielo picado crujiente.

Granizado de Piña Colada

Rendimiento: 6 porciones

- 2 1/2 tazas de piña, en cubos de 1/2 pulgada
- 1 lata (12 onzas) de crema de coco
- 1/2 taza de jugo de lima fresco
- 1/2 taza de jugo de naranja natural
- 3 cucharadas de ron oscuro
- 2 cucharadas de Triple Sec

Trabajando en lotes, procese la piña en un procesador de alimentos durante 15 segundos. Transfiera a un tazón grande. Agregue la crema de coco, el jugo de lima, el jugo de naranja, el ron y Triple Sec.

Cubra con una envoltura de plástico y colóquelo en el congelador durante la noche.
Trabajando en lotes, presione la mezcla congelada en un procesador de alimentos 10 veces y luego procese hasta que quede suave, aproximadamente 90 segundos.

Cubra y congele 2 horas, o hasta que esté firme.

Granizado de tomate, chile y vodka

Aproximadamente 4 porciones

- Tarro 250g de salsa de tomate de buena calidad con guindilla
- vodka
- 2 puñados de hojas de apio picadas

Vierta el frasco de salsa en un recipiente para congelador poco profundo. Llene la jarra hasta la mitad con vodka y llene hasta el borde con agua fría. Agregue la mezcla a la salsa y revuelva.

Agregue las hojas de apio y reserve un poco para decorar. Mezclar hasta que esté bien combinado. Congele durante aproximadamente 5 horas hasta que esté sólido, revolviendo las áreas congeladas desde los bordes hasta el centro del recipiente aproximadamente cada hora si es posible.

Aproximadamente 30 minutos antes de servir, rompa la mezcla con un tenedor. Regrese la mezcla crujiente al congelador por 30 minutos.

Vierta en vasos y sirva inmediatamente, adornado con hojas de apio.

Granizado de menta verde

- 1 1/2 tazas (12 fl oz) de agua hirviendo
- 8 ramitas de menta fresca (preferiblemente recogidas temprano en el día o usadas inmediatamente después de la compra)
- 3/4 taza de azúcar extrafina
- 1 1/2 tazas de agua helada
- 2 cucharadas. hojas de menta fresca finamente picadas
- colorante verde para alimentos (opcional)
- ramitas de menta para decorar (opcional)

Vierta el agua hirviendo sobre las ramitas de menta y el azúcar en un bol y deje enfriar, revolviendo de vez en cuando. Agrega el agua helada y enfría.
Cuele el líquido en un recipiente para congelador y agregue la menta picada (agregue unas gotas de colorante verde para alimentos si lo desea). Congele hasta que esté parcialmente congelado, luego revuelva con un tenedor para romper en cristales. Regrese al congelador y vuelva a congelar hasta que esté casi firme. Retire y revuelva con un tenedor para que se rompan en cristales agradables y uniformes.
Sirva en vasos altos helados, con más ramitas de menta si lo desea.

Rinde aproximadamente 1 1/4 pintas

Granizado de café

Este es un fuerte helado de agua de café negro templado con un poco de dulzura y cubierto con un remolino de crema de nuez.

- 3 tazas de café negro muy fuerte recién hecho
- 1/3 taza de azúcar extrafina
- 1/4 cucharadita extracto puro de vainilla
- 1 taza de agua fría
- 1 taza de nata para montar
- 2 cucharadas. avellanas tostadas

Mezcle el café caliente, el azúcar y la vainilla. Deje enfriar, revolviendo ocasionalmente hasta que el azúcar se haya disuelto. Agrega el agua fría y vierte en un recipiente para congelador.
Congele hasta que esté fangoso. Rompa ligeramente con un tenedor, luego continúe congelando hasta que esté casi firme.
Moler finamente la mayoría de las nueces y triturar el resto. Batir la nata hasta que esté espumosa e incorporar las nueces molidas. Coloque en el congelador durante los últimos 15 minutos antes de servir.

Enfríe de 4 a 6 vasos altos. Saca el granizado del congelador y rómpelo con un tenedor. Llena los vasos fríos con los cristales de hielo de café. Cubra con un remolino de crema helada y espolvoree algunas de las nueces trituradas. Vuelva a congelar por no más de una hora, luego sirva directamente del congelador.

Rinde aproximadamente 1 1/2 pintas

HELADOS DE AGUA

Hielo de agua de bayas de verano

- 1/3 a 1/2 taza de azúcar extrafina (según la madurez y la mezcla de bayas)
- 1 taza de agua
- 2 tazas de bayas frescas
- 1 cucharada. jugo de limon

Mezcle el azúcar y el agua en una sartén y deje hervir, revolviendo de vez en cuando. Retirar inmediatamente del fuego. Recoja o pele la fruta según sea necesario, lave y seque, y agregue a la olla con agua azucarada. Revuelva para asegurarse de que el azúcar se disuelva y déjelo en el almíbar caliente hasta que la fruta se ablande.

Deje enfriar un poco, agregue el jugo de limón y luego haga un puré o páselo por un colador de malla fina si desea un puré suave. Vierta en un recipiente para congelador. Congele hasta que esté parcialmente congelado, rompa con un tenedor en cristales, luego congele nuevamente hasta que esté casi congelado, batiendo suavemente una vez más durante este tiempo.

Para servir, rompa el granizado en cristales y sírvalo con más bayas o merengues masticables.

Rinde aproximadamente 1 3/4 pintas

Hielo de agua de maracuyá

La fruta de la pasión astringente hace un helado de agua deliciosamente refrescante.

- 12 maracuyá madura
- 1 taza de agua
- 3/4 taza de azúcar extrafina
- 1 cucharada. zumo de naranja
- 1 cucharadita jugo de limon

Saque toda la pulpa y el jugo de la fruta y cuele en un recipiente para quitar las semillas negras.
Agregue el agua, el azúcar y los jugos. Enfríe durante unos 30 minutos mientras se disuelve el azúcar. Revuelva de vez en cuando.
Vierta la mezcla en un recipiente para congelador y congele hasta que esté casi firme, revolviendo y rompiendo en cristales una o dos veces.
Cuando esté listo para servir, rompa el agua helada con un tenedor hasta que tenga una consistencia granular. Servir con panna cotta o crème brulée y un poco de jugo de maracuyá fresco vertido en el último momento.

Rinde aproximadamente 1 1/4 pintas

Helado de agua de frambuesa

Nunca adivinaría que este helado de agua contiene vino, pero agrega un sabor inusualmente con cuerpo.

- 2 tazas de frambuesas frescas
- 1/2 taza de vino tinto claro
- 1 taza de agua
- 3/4 taza de azúcar extrafina

En un procesador de alimentos o licuadora, combine bien todos los ingredientes. Vierta a través de un colador de malla fina hasta que esté bastante suave.

Vierta la mezcla en un recipiente para congelador y congele hasta que esté parcialmente congelado. Rómpelo en cristales una vez, luego déjelo hasta que esté casi congelado.

Para servir, rompa o raspe el agua helada en cristales y vierta en vasos de vino helados. Dejar en el congelador no más de una hora, hasta que esté listo para comer. Sirva con biscotti o galletas simples.

Rinde aproximadamente 1 1/2 pintas

Agua helada de albaricoque suave

Los albaricoques, cuando están realmente maduros, pueden ser delicadamente aromáticos y son perfectos para un elegante helado de agua. En invierno, use la variación de albaricoque seco.

- 3/4 libra de albaricoques muy maduros, sin hueso
- 1/2 taza de azúcar extrafina
- 1 1/2 tazas de agua
- 1/4 taza de licor de amaretto

Pon los albaricoques en una licuadora con el azúcar y el agua. Mezcle hasta obtener un puré, luego páselo por un colador de malla fina si desea una mezcla realmente suave.

Agregue el Amaretto y luego vierta en un recipiente para congelar hasta que esté parcialmente congelado. Batir o romper brevemente y luego regresar al congelador hasta que esté congelado pero no duro. Romper con un tenedor para dar un efecto de cristal quebradizo y servir solo o con fruta a la plancha o pochada.

Rinde aproximadamente 1 1/4 pintas

Helado de agua de manzana al horno

Manzanas suaves y esponjosas al horno o al microondas hacen un helado de agua muy fácil y delicioso. Elija manzanas que estén afiladas y se vuelvan suaves y esponjosas al cocinarlas.

- 2 manzanas de tarta de tamaño mediano para cocinar (como Newtown Pippin, Jonagold o Granny Smith)
- 4 cucharadas cariño
- 1 1/2 tazas de agua
- 1/2 taza de azúcar extrafina
- 1 cucharada. jugo de limon
- 1/2 cucharadita canela molida, más una pizca más para decorar
- galletas de jengibre o galletas para servir

Haga cortes alrededor de la mitad de las manzanas (para que no se partan al cocinarlas) y cocine en el microondas o hornee hasta que estén bastante blandas. Deje reposar hasta que se enfríe lo suficiente como para manipularlo y luego saque la pulpa blanca esponjosa en un tazón. Déjelo enfriar completamente.

Agregue suavemente la miel, el agua, el azúcar, el jugo de limón y 1/2 cucharadita de canela. Mezclar hasta que esté bien mezclado y el azúcar se haya disuelto.

Vierta en un recipiente para congelador y congele hasta que esté casi firme, revolviendo y rompiendo con un tenedor una o dos veces. Para servir, rompa nuevamente en cristales uniformes, luego sirva con galletas de jengibre o engalletas de jengibreque has formado en cestas mientras se enfrían. Espolvorea con un poco más de canela antes de servir.

Rinde aproximadamente 1 1/4 pintas

HELADOS A BASE DE ALCOHOL

Helado de albaricoque Earl Grey

- 1 taza (aproximadamente 6 onzas) de albaricoques secos
- 1/3 taza más 2 cucharadas de azúcar granulada
- 2/3 taza de agua
- 1 1/2 tazas de leche
- 2 cucharadas de hojas de té Earl Grey
- 1 1/2 tazas de crema espesa
- Pizca de sal
- 4 yemas de huevo
- 1 cucharada de brandy de albaricoque o licor de naranja

En una cacerola pequeña y pesada, combine los albaricoques, 2 cucharadas de azúcar y agua. Llevar a ebullición a fuego moderado. Reduzca el fuego a moderadamente bajo y cocine a fuego lento, sin tapar, hasta que los albaricoques estén tiernos, de 10 a 12 minutos.

Transfiera los albaricoques y el líquido restante a un procesador de alimentos y haga puré hasta que quede suave, raspando los lados del tazón una o dos veces. Dejar de lado.

En una cacerola mediana pesada, combine la leche y las hojas de té. Calentar a fuego lento hasta que la leche esté caliente. Retirar del fuego y dejar reposar durante 5 minutos. Colar la leche con un colador de malla fina.

Regrese la leche a la cacerola y agregue la crema espesa, el 1/3 de taza restante de azúcar y sal. Cocine a fuego moderado, revolviendo frecuentemente con una cuchara de madera, hasta que el azúcar se disuelva por completo y la mezcla esté caliente, de 5 a 6 minutos. Retirar del fuego.

En un tazón mediano, bata las yemas de huevo hasta que se mezclen. Poco a poco, agregue un tercio de la crema caliente en un chorro fino, luego mezcle la mezcla nuevamente con la crema restante en la cacerola.

Cocine a fuego moderadamente bajo, revolviendo constantemente, hasta que las natillas cubran ligeramente el dorso de la cuchara, de 5 a 7 minutos; no dejes hervir.

Retirar inmediatamente del fuego y colar las natillas en un tazón mediano. Coloque el tazón en un tazón más grande con hielo y agua. Deje que las natillas se enfríen a temperatura ambiente, revolviendo ocasionalmente.

Agregue el puré de albaricoque reservado y el brandy hasta que se mezclen. Cubra y refrigere hasta que esté frío, al menos 6 horas o toda la noche.

Vierta las natillas en una máquina para hacer helados y congele de acuerdo con las instrucciones del fabricante.

Helado de chocolate con ron y pasas

Porciones: 4

- 1 taza de nata para montar
- 1/2 taza de pasas cubiertas de chocolate de Brach
- 3/4 taza de leche
- 1 huevo
- 2 cucharaditas de saborizante de ron

En una cacerola pequeña a fuego medio, combine la crema batida y las pasas cubiertas de chocolate. Revuelva hasta que el chocolate se derrita. Retírelo del calor.

Batir la leche, el huevo y el saborizante. Enfriar. Congele de acuerdo con las instrucciones del fabricante.

Helado De Mantequilla De Brandy

- 1/2 pinta de crema batida
- 1/4 pinta de leche
- 5 onzas de azúcar en polvo
- 1 cucharada de extracto de vainilla
- 5 cucharadas de brandy
- 3 onzas de mantequilla sin sal, ablandada

Vierta la crema y la leche en un tazón y bata hasta que esté suave. Agregue el azúcar, el extracto de vainilla, el brandy y la mantequilla hasta que quede suave. Vierta en un recipiente para congelador y congele de acuerdo con las instrucciones del fabricante hasta que esté sólido.

Lleno de helado de chocolate

- 3 onzas de chocolate sin azúcar, picado grueso
- 1 lata (14 onzas) de leche condensada azucarada
- 1 1/2 cucharaditas de extracto de vainilla
- 4 cucharadas de mantequilla sin sal
- 3 yemas de huevo
- 2 onzas de chocolate semidulce
- 1/2 taza de café negro fuerte
- 3/4 taza de azúcar granulada
- 1/2 taza de crema ligera
- 1 1/2 cucharaditas de ron oscuro
- 2 cucharadas de crema de cacao blanca
- 2 tazas de crema espesa
- 2 onzas de chocolate sin azúcar, finamente rallado
- 1/4 cucharadita de sal

En baño maría, derrita 3 onzas de chocolate sin azúcar. Agregue la leche, revolviendo hasta que quede suave. Agregue el extracto de vainilla y retire del fuego.

Corte la mantequilla en cuatro trozos iguales y agregue, una pieza a la vez, revolviendo constantemente hasta que se haya incorporado toda la cola. Batir las yemas hasta que estén claras y de color limón.

Agregue gradualmente la mezcla de chocolate y continúe revolviendo hasta que quede suave y cremoso. Dejar de lado.

En baño maría, caliente 2 onzas de chocolate semidulce, café, azúcar y crema ligera. Revuelva constantemente hasta que quede suave. Agregue el ron y la crema de cacao y deje que la mezcla se enfríe a temperatura ambiente.

Combine ambas mezclas de chocolate, la crema espesa, el chocolate rallado sin azúcar y el listón en un tazón grande. Vierta la mezcla en el recipiente del congelador de helado y congele de acuerdo con las instrucciones del fabricante.

Helado de chocolate y ron

- 1/4 taza de agua
- 2 cucharadas de café instantáneo
- 1 paquete (6 onzas) de chispas de chocolate semidulce
- 3 yemas de huevo
- 2 onzas de ron oscuro
- 1 1/2 tazas de crema espesa, batida
- 1/2 taza de almendras rebanadas, tostadas

En una cacerola pequeña, coloque el azúcar, el agua y el café. Revolviendo constantemente, lleve a ebullición y cocine por 1 minuto. Coloque las chispas de chocolate en una licuadora o procesador de alimentos y, con el motor en marcha, vierta el almíbar caliente y mezcle hasta que quede suave. Batir las yemas de huevo y el ron y enfriar un poco. Doble la mezcla de chocolate en crema batida, luego vierta en platos individuales para servir o en un plato bombé. Espolvorea con almendras tostadas. Congelar.

Para servir, retire del congelador al menos 5 minutos antes de servir.

Helado de pudín de Navidad

- Aproximadamente 6 a 8 porciones
- Caja de 284ml de nata líquida, fría
- Crema pastelera prefabricada en cartón de 500g
- 2 cucharadas de brandy o ron
- Aproximadamente 225 g / 8 oz de pudín de Navidad

Vierta la crema en una jarra grande. Con un batidor, agregue las natillas y el brandy / ron.

Cubra y refrigere durante unos 30 minutos o hasta que esté bien frío. Vierta la mezcla en la máquina para hacer helados y congele de acuerdo con las instrucciones.

Mientras tanto, desmenuce o pique el pudín de Navidad en trozos muy pequeños, transfiéralo a un recipiente adecuado y agregue el pudín desmenuzado.

Congelar hasta que se requiera.

Helado de dátiles

- 1/3 taza de dátiles sin hueso picados
- 4 cucharadas de ron
- 2 huevos, separados
- 1/2 taza de azúcar granulada
- 2/3 taza de leche
- 1 1/2 tazas de requesón
- Ralladura fina y jugo de 1 limón
- 2/3 taza de crema batida
- 2 cucharadas de jengibre de tallo finamente picado

Remoje los dátiles en ron durante aproximadamente 4 horas. Poner las yemas de huevo y el azúcar en un bol y batir hasta que estén suaves. Caliente la leche a fuego lento en una cacerola y luego revuelva con las yemas de huevo. Regrese la mezcla a la sartén enjuagada y cocine a fuego lento, revolviendo constantemente, hasta que espese. Deje enfriar, revolviendo ocasionalmente.

Procese el requesón, la ralladura de limón y el jugo y el ron colado de los dátiles en una licuadora o procesador de alimentos hasta que quede suave y luego mezcle con las natillas. Vierta la mezcla en un recipiente, cubra y congele hasta que esté firme. Convierta en un bol, bata bien, luego agregue la crema batida, los dátiles y el jengibre. Batir las claras de huevo en un tazón hasta que estén firmes pero no secas y mezclarlas con la mezcla de frutas. Vuelva a colocar la mezcla en el recipiente. Cubra y congele hasta que esté firme.

Aproximadamente 30 minutos antes de servir, transfiera el helado al refrigerador.

Para 6.

Helado de ponche de huevo con ron con mantequilla caliente

- 3 tazas de crema batida
- 1 taza de leche entera
- 1 vaina de vainilla, partida a lo largo
- 6 yemas de huevo grandes
- 1 taza de azúcar granulada
- 1/4 taza de ron oscuro
- 1/4 de cucharadita de nuez moscada molida

Combine la crema batida y la leche en una cacerola mediana. Raspe las semillas de la vaina de vainilla. Agregue frijoles. Llevar a fuego lento. Batir las yemas de huevo y el azúcar en un tazón grande para mezclar. Incorpora poco a poco la mezcla de crema caliente. Regrese la mezcla a la cacerola. Revuelva constantemente a fuego medio-bajo hasta que la crema se espese y deje un camino en el dorso de la cuchara cuando se pasa el dedo, aproximadamente 5 minutos (no hierva). Colar en un tazón grande. Mezcle el ron y la nuez moscada. Refrigere hasta que esté frío.

Procese la mezcla en la máquina para hacer helados según las instrucciones del fabricante. Transfiera a un recipiente y congele. Se puede realizar con 4 días de antelación. Mantener congelado.

Salsa

- 6 cucharadas de mantequilla sin sal
- 1 taza de azúcar morena dorada compacta
- 1/3 taza de crema batida
- 2 cucharadas de sirope de maíz light
- 2 cucharadas de ron oscuro

Derrita la mantequilla en una cacerola mediana a fuego medio. Agregue el azúcar morena, la crema y el jarabe de maíz. Hervir 1 minuto. Retírelo del calor. Incorpora el ron. Déjelo enfriar un poco. (Se puede preparar con 1 día de anticipación. Cubra y refrigere. Vuelva a calentar antes de usar). Coloque el helado en tazones. Vierta la salsa tibia sobre el helado.

Daiquiri de piña congelado

- 1 1/2 oz de ron ligero
- 4 trozos de piña
- 1 cucharada de jugo de ciruela
- 1/2 cucharadita de azúcar
- 1 taza de hielo triturado

Combine el ron, la piña, el jugo de lima, el azúcar y el hielo picado en la licuadora.
Licue a baja velocidad.

Helado De Pastel De Frutas

- 2 huevos
- 1/4 taza de azúcar morena
- 1 taza de leche
- 1 taza de nata
- 2 1/2 cucharadas de mazapán finamente picado
- 1/2 taza de bizcocho de frutas finamente picado
- 1 1/2 cucharadas de brandy, jerez o ron

Batir los huevos y el azúcar en un tazón grande. Lleve la leche y la crema a fuego lento en una cacerola. Vierta sobre los huevos en un flujo lento y constante, batiendo constantemente y sin dejar de batir hasta que la mezcla esté muy espesa y ligera. Agregue el mazapán o las almendras molidas, luego agregue el pastel de frutas y el brandy, el jerez o el ron. Vierta la mezcla en un recipiente. Cubra y congele hasta que esté firme.

Aproximadamente 20 minutos antes de servir, transfiera el helado al refrigerador. Para 6.

Higo de Higo Dorado con Ron

Esta es una versión helada de un postre italiano que me sirvieron un verano. Es bastante rico, así que sírvelo en pequeñas cucharadas con pastel de limón tibio y postres con sabor a albaricoques. También está bien hecho con licor de naranja en lugar de ron.

- Aproximadamente 6 a 8 porciones
- 150 g de higos secos listos para comer
- Caja de 250g de queso mascarpone
- Caja de 200g de yogur griego
- 2 cucharadas de azúcar moscabado light
- 2 cucharadas de ron oscuro

Pon los higos en un procesador de alimentos o licuadora. Agrega el queso mascarpone, el yogur, el azúcar y el ron. Licue hasta que quede suave, raspando los lados cuando sea necesario.
Cubra y refrigere durante unos 30 minutos hasta que se enfríe. Vierta la mezcla en la máquina para hacer helados y congele de acuerdo con las instrucciones. Transfiera a un recipiente adecuado y congele hasta que se requiera.

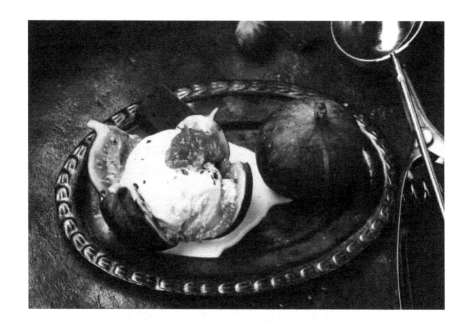

Café irlandés

El café irlandés se prepara endulzando un café fuerte con un poco de azúcar morena, agregando un chorrito de whisky y dejando una capa gruesa de crema por encima. Obtienes la cantidad justa de cada elemento mientras bebes esta bebida clásica, que se hizo popular a principios de la década de 1950, y obtendrás todos esos sabores en esta versión de helado con whisky.

- 1 taza de leche entera
- $1\frac{1}{2}$ cucharadas de café instantáneo o espresso en polvo
- ⅔ taza de azúcar morena, empacada
- 1 huevo grande
- 3 yemas de huevo grandes
- $\frac{1}{4}$ taza de whisky irlandés
- $\frac{1}{2}$ cucharadita de extracto de vainilla
- 2 tazas de crema espesa

Combine la leche, el café instantáneo y el azúcar en una cacerola mediana. Cocine a fuego medio, revolviendo para disolver el azúcar, hasta que la mezcla hierva a fuego lento.

Batir el huevo y las yemas de huevo en un tazón grande. Cuando la mezcla de leche hierva a fuego lento, retírela del fuego y viértala muy lentamente en la mezcla de huevo para templarla mientras bate constantemente. Cuando se haya agregado toda la mezcla de leche, devuélvala a la cacerola y continúe cocinando a fuego medio, revolviendo constantemente, hasta que la mezcla se espese lo suficiente como para cubrir el dorso de una cuchara, de 2 a 3 minutos. Retire del fuego y agregue el whisky, la vainilla y la crema.

Enfríe la mezcla de leche a temperatura ambiente, luego cubra y refrigere hasta que esté bien fría, de 3 a 4 horas, o durante la noche. Vierta la mezcla fría en una máquina para hacer helados y congele como se indica.

Transfiera el helado a un recipiente apto para congelador y colóquelo en el congelador. Deje que se endurezca durante 1 a 2 horas antes de servir.

Helado de chocolate Jack Daniel's

- 2 tazas de crema batida
- 2 tazas mitad y mitad
- 1/3 taza de azúcar granulada
- 1/3 taza de cacao en polvo sin azúcar
- 2 1/2 onzas de chocolate semidulce, picado grueso
- 6 huevos, batidos para mezclar
- 1/3 taza de whisky Jack Daniel's

Lleve la crema y la mitad y mitad a fuego lento en una cacerola grande y pesada. Agregue el azúcar y el cacao y revuelva hasta que el azúcar se disuelva. Retírelo del calor. Agregue el chocolate y revuelva hasta que quede suave. Poco a poco, mezcle 1/2 taza de la mezcla de chocolate con los huevos. Regrese a la cacerola. Revuelva a fuego medio-bajo hasta que la mezcla se espese y deje un camino en el dorso de la cuchara cuando se pasa el dedo, de 10 a 15 minutos.

Colar en un tazón colocado sobre un tazón más grande lleno de hielo. Deje enfriar completamente, revolviendo con frecuencia.

Agrega el whisky a las natillas. Transfiera las natillas a la máquina para hacer helados y congele de acuerdo con las instrucciones del fabricante. Congele en un recipiente tapado durante varias horas para suavizar los sabores. Si está congelado, deje que se ablande antes de servir.

Muscovado y ron helado

Un helado rico y cremoso con un sabor casi a caramelo. Es particularmente bueno si se sirve con peras escalfadas calientes o tarta de manzana caliente.

Aproximadamente 6 porciones

- Caja de 284ml de nata líquida, fría
- 300 g / 10½ oz de yogur griego natural, frío
- 115 g / 4 oz de azúcar moscabado
- 2 cucharadas de ron oscuro
- 1½ cucharadita de extracto de vainilla

Vierta la nata en una jarra y agregue el yogur y el azúcar moscabado. Con un batidor, revuelva bien. Cubra y refrigere durante unos 30 minutos, momento en el que el azúcar se habrá disuelto. Agrega el ron y la vainilla y revuelve bien. Vierta la mezcla en la máquina para hacer helados y congele de acuerdo con las instrucciones. Transfiera a un recipiente adecuado y congele hasta que se requiera.

Flotador de cerveza de raíz

- 1 botella (24 onzas) de cerveza de raíz (no dietética) $\frac{1}{4}$ taza de azúcar
- 1 cucharadita de extracto de vainilla
- 1 taza de leche entera
- 2 tazas de crema espesa

Lleve la cerveza de raíz a fuego lento en una cacerola pequeña a fuego medio y reduzca de 24 onzas a 6 onzas, o aproximadamente $\frac{3}{4}$ de taza, aproximadamente 20 minutos. Retire del fuego y agregue el azúcar y la vainilla, revolviendo hasta que el azúcar se disuelva.

Combine el jarabe de cerveza de raíz con la leche y la crema. Deje enfriar a temperatura ambiente, luego cubra y refrigere hasta que esté bien frío, de 3 a 4 horas, o durante la noche. Vierta la mezcla fría en una máquina para hacer helados y congele como se indica.

Transfiera el helado a un recipiente apto para congelador y colóquelo en el congelador. Deje que se endurezca durante 1 a 2 horas antes de servir.

Cerveza de raíz y queso de cabra más suave

Rinde aproximadamente $1\frac{1}{2}$ cuarto de galón

- 12 onzas de cobertura batida
- 1 lata (14 onzas) de leche condensada azucarada
- 6 onzas de queso de cabra
- 2 cucharadas de sirope de cerveza de raíz

En un tazón, mezcle suavemente la cobertura batida, la leche, el queso y el jarabe de cerveza de raíz, teniendo especial cuidado de no desinflar el aire de la cobertura batida. Una vez bien integrado, guardar en un recipiente hermético y congelar durante la noche.

Sírvelo como madera de pino en una rebanada de pan crujiente, o cúbrelo con Quick Pickled Berries y prepárate para un perfil de sabor explosivo.

Helado de Ron y Pasas

Si el helado se congela por más de un día, el ron lo mantiene lo suficientemente suave como para servirlo directamente del congelador.

Aproximadamente 6 a 8 porciones

- 85g / 3 oz de pasas
- 3 cucharadas de ron oscuro
- Flan de cartón de 450g
- Caja de 284ml de nata líquida, fría
- 2 cucharadas de azúcar en polvo

Ponga las pasas en un tazón pequeño y espolvoree con el ron. Tapar y dejar reposar varias horas o, si el tiempo lo permite, toda la noche.

Vierta las natillas en una jarra y agregue la nata y el azúcar. Revuelva bien.

Enfríe la mezcla en el refrigerador durante 20 a 30 minutos.

Agrega las pasas y el ron a la mezcla de natillas.

Vierta la mezcla en la máquina para hacer helados y congele de acuerdo con las instrucciones.

Transfiera a un recipiente adecuado y congele hasta que se requiera.

Helado de azafrán

- 1 1/2 tazas mitad y mitad
- 1 huevo
- 1/2 gramo de azafrán picado fino
- brandy
- 1/3 taza de azúcar

Remojar el azafrán en una cantidad muy pequeña de brandy (suficiente para cubrirlo) durante una hora. Hervir el huevo durante exactamente 45 segundos. Combine todos los ingredientes y refrigere por 1/2 hora. Luego siga el procedimiento habitual para su heladera (hice esto usando el modelo más pequeño de Donvier).

Sirve alrededor de 3 personas. El sabor a azafrán era muy pronunciado: no querría aumentar la cantidad de azafrán de lo anterior y probablemente podría arreglárselas con menos.

PORCIONES SUAVES

Piña colada más suave

Rinde aproximadamente $1\frac{1}{2}$ cuarto de galón

- 12 onzas de cobertura batida
- 12 onzas de crema de coco
- jugo de piña
- $\frac{1}{4}$ taza de ron de coco
- 2 cucharadas de azúcar morena
- Ralladura de 1 lima

En un tazón, mezcle suavemente la cobertura batida, la crema de coco, el jugo de piña, el ron, el azúcar y la ralladura de lima, teniendo especial cuidado de no desinflar el aire de la cobertura batida. El líquido adicional en esta receta requiere una mezcla un poco más cuidadosa, pero se juntará.

Sal marina y masa madre para servir más suave

Rinde aproximadamente 1½ cuarto de galón

- 12 onzas de cobertura batida
- 1 lata (14 onzas) de leche condensada azucarada
- ¾ taza de crema espesa
- 2 cucharaditas de sal marina en escamas
- ½ taza de pan rallado de masa madre

En un tazón, mezcle suavemente la cobertura batida, la leche, la crema, la sal y el pan rallado, teniendo especial cuidado de no desinflar el aire de la cobertura batida. Una vez bien integrado, guardar en un recipiente hermético y congelar durante la noche.

¡Todo! Sorbete de chocolate, cerveza de raíz y queso de cabra para servir más suave. O rocíe con mermelada de fresa simple y salsa de mantequilla de maní con miel para darle un giro a las tostadas de desayuno.

Helado de pepitas señorita

Rinde aproximadamente 1 cuarto de galón

- Base de helado en blanco
- cucharadita de pimiento rojo molido
- $1\frac{1}{2}$ tazas de crujiente de semillas de calabaza picante

Prepare la base en blanco de acuerdo con las instrucciones.

Cuando esté listo para hacer el helado, vuelva a licuar la base con una licuadora de inmersión hasta que quede suave y cremoso. Agrega la pimienta y licúa hasta que se incorpore.

Vierta en una máquina para hacer helados y congele de acuerdo con las instrucciones del fabricante. Una vez que el helado haya terminado de congelarse, doble suavemente las piezas crujientes de semillas de calabaza picante, guárdelas en un recipiente hermético y congele durante la noche.

Spumoni

- 2 tazas de crema batida
- 2/3 taza de leche condensada azucarada
- 1/2 cucharadita de extracto de ron
- 1 lata (21 onzas) de relleno de pastel de cerezas
- 1/2 taza de almendras picadas
- 1/2 taza de chispas de chocolate en miniatura

Combine la crema batida, la leche y el extracto de ron en un tazón grande; cubra y refrigere por 30 minutos. Retirar del refrigerador y batir hasta que se formen picos suaves. No se exceda. Incorporar el relleno de tarta de cerezas, las almendras y las chispas de chocolate. Transfiera a una sartén cuadrada de 8 pulgadas. Cubra y congele durante aproximadamente 4 horas o hasta que esté firme.

Sirva en platos de postre y sirva.

HELADO SIN LÁCTEOS

Helado de tofu de jengibre con naranjas caramelizadas

El tofu sedoso (suave) hace un helado delicioso y cremoso que todos disfrutarán, independientemente de su dieta.

- 1 taza de tofu sedoso
- 1 taza de leche de soja
- 1/2 taza de jarabe de arce puro
- 2 cucharaditas Jengibre molido
- 1/4 taza de jengibre confitado o cristalizado picado
- 1 cucharadita extracto puro de vainilla
- ralladura fina y jugo de 1 naranja grande
- para las naranjas caramelizadas
- 2 naranjas grandes
- 1/2 taza de azucar
- 4 cucharadas agua

Mezcle suavemente todos los ingredientes del helado en una mezcla suave. Vierta en una máquina para hacer helados y bata siguiendo las instrucciones del fabricante, o transfiéralo a un recipiente para congelador y siga lasinstrucciones para mezclar a mano. Cuando esté casi firme, congele en un recipiente de congelador durante 15 a 20 minutos antes de servir. El helado se puede congelar hasta por 1 mes, dejando que se ablanden 10 o 15 minutos antes de servir.

Retire las tiras de ralladura de las 2 naranjas grandes y déjelas a un lado, luego retire y deseche los restos de cáscara y la médula blanca. Corta las naranjas en rodajas y reserva. Cortar la ralladura en tiras finas y colocar en una cacerola pequeña con el azúcar y el agua. Caliente hasta que el azúcar se haya disuelto y luego cocine a fuego lento hasta que la mezcla forme un almíbar dorado. Retirar del fuego inmediatamente y agregar las naranjas en rodajas. Regrese al fuego y cocine a fuego lento durante unos 5 minutos, hasta que las rodajas estén bien blandas, enfríe. Sirve el helado de tofu con rodajas de naranjas caramelizadas y un poco del almíbar rociado por encima.

Para 4 personas

Hielo de coco con lima

La leche de coco es una excelente base para un helado, pero puedes enriquecerla usando la crema de coco más espesa (icon mayor contenido de grasa, por supuesto!). El sabor a coco es genial con el fuerte sabor de las limas.

- 2 tazas de leche de coco, fría
- ralladura fina y jugo de 3 limas
- 4 cucharadas miel, o al gusto
- coco seco, tostado, para decorar

Mezcle todos los ingredientes en un procesador de alimentos hasta que estén bien mezclados. Coloque en una máquina para hacer helados y procese de acuerdo con las instrucciones del fabricante, o colóquelo en un recipiente para congelador y congele usando elmétodo de mezcla manual hasta que esté casi firme.
Transfiera a un recipiente para congelador y congele hasta que esté lo suficientemente firme para servir, o cubra y congele por hasta 3 meses. Sirva cubierto con coco tostado.

Rinde 3 tazas

Rollo de plátano cremoso

Este rollo de helado es rico en el dulce sabor de los plátanos.

- 6 plátanos maduros
- 2 tazas de leche de soja
- 6 cucharadas jarabe de arce puro
- 2 cucharaditas extracto puro de vainilla
- 3 cucharadas semillas de sésamo tostadas
- 2 a 3 cucharadas cacao en polvo sin azúcar, tamizado
- copos o rizos de chocolate, para decorar
- 1/2 receta salsa de chocolate

Congele los plátanos con piel durante aproximadamente 2 horas.

Pele, corte y procese los plátanos en un procesador de alimentos con la leche de soja, el jarabe de arce, la vainilla y las semillas de sésamo hasta que estén bien mezclados. Vierta en una bandeja para hornear forrada con papel de aluminio, extienda uniformemente y congele durante 1 hora.

Retirar cuando aún esté ligeramente blando. Luego, enrolle (en forma de rollo de gelatina) en un cilindro, cubra con una segunda capa de papel de aluminio y retuerza los extremos con fuerza para darle al rollo una buena forma ordenada. Congele por otra hora hasta que esté realmente firme.

Para servir, desenvuelva el rollo sobre una superficie plana y báñese todo con el cacao en polvo. Transfiera a un plato de servir y decore con rizos de chocolate, o rocíe con salsa de chocolate. Sirve en rodajas, con más salsa de chocolate.

Para 8 porciones

CPSIA information can be obtained
at www.ICGtesting.com
Printed in the USA
BVHW090428300421
606133BV00004B/285

9 781801 977142